JEANS
古本
STATION
KOBAN
Super Market

ツクルとひみつの改《かい》造《ぞう》ボット

辻 貴司 作
TAKA 絵

岩崎書店

もくじ

木工用
乾
OIL
発明家にな
エジソン
発明
SPYX

001 プロローグ

最近《さいきん》、おかしなうわさを耳《みみ》にした。
この町《まち》に、なぞのエンジニアがいて、
キカイをしゃべれるように改造《かいぞう》している
らしいんだ。
改造《かいぞう》ボット！
うわさを聞《き》いた瞬間《しゅんかん》、ひらめいた。
自分《じぶん》でも、なかなか、かっこいい
名前《なまえ》をつけられたと思《おも》う。

であえた人《ひと》しか知《し》らない、
この町《まち》のひみつ。
「しゃべるキカイには、目印《めじるし》に、
さかさまシールがはってある、らしい」
どこから聞《き》いたのか、おなじクラス
のトミーがおしえてくれた。
最近《さいきん》、トミーは情報屋《じょうほうや》を気《き》どっている。
「ツクルは、あのトーマス・エジソンの
遠《とお》い親戚《しんせき》で、大《おお》きくなったら
発明家《はつめいか》になりたいんだろ？
この手《て》の話《はなし》は、好《す》きだと思《おも》ったんだ」

エジソンの親戚《しんせき》だっていう話《はなし》は、お父《とう》さんのじょうだんだと思《おも》う。

でも、小二《しょうに》で伝記《でんき》を読《よ》んで、発明家《はつめいか》になりたい、ゼロから新《あたら》しいものを作《つく》ってみたい、と思《おも》うきっかけになったことは、まちがいない。

あれから、発明《はつめい》の本《ほん》もいろいろ読《よ》んだし、今年《ことし》の誕生日《たんじょうび》には、はんだごてを買《か》ってもらって、今《いま》だってこわれた時計《とけい》を直《なお》しているところだ。

「最後《さいご》に、基板《きばん》がくさったところの回路《かいろ》をつなげて……っと」

ツクルは、短《みじか》く切《き》ったリード線《せん》を基板《きばん》にサッとはんだ付《づ》けすると、こて先《さき》を、水《みず》でしめらせたスポンジでぬぐった。じゅっと小気味《こきみ》いい音《おと》がする。うん、いい音《おと》。

あとは、歯車《はぐるま》をまちがえないように組《く》み立《た》て直《なお》して、さっき作《つく》った部品《ぶひん》をとり付《つ》ければ……よし、完成《かんせい》！

だから、なんとなくわかるんだ。

なぞのエンジニアは、きっとすごい人《ひと》にちがいない。

どうやって、改造《かいぞう》したんだろう。

名前《なまえ》はなんていうんだろう。

どうして、こんなちっぽけな町《まち》にいるんだろう。

知《し》りたい！

この一週間《しゅうかん》、トミーの話《はなし》を信《しん》じて、町中《まちなか》でキカイを見《み》るたびに、シールをさがしたり、話《はな》しかけたりした。けれど、返事《へんじ》をしてくれるキカイはなかった。

やっぱり、情報源《じょうほうげん》がインチキなのか。いや、そもそも都市伝説《としでんせつ》みたいな話《はなし》を信《しん》じたのがバカなのかもしれない……。

mamazon
GARBAGE
コーラグミ
発明王

歩《ある》き回《まわ》って疲《つか》れがたまったのか、思《おも》ったよりショックが大《おお》きかったのか……。からだとメンタルを整《ととの》えるために、今日《きょう》は学校《がっこう》を休《やす》んで、壁《かべ》かけ時計《どけい》の修理《しゅうり》に没頭《ぼっとう》していた。

「さかさまシールの話《はなし》をおしえてもらうために、『感動《かんどう》チョコ』を三粒《つぶ》も、とられたのになあ」

もうトミーからの情報《じょうほう》は買《か》わないぞ。

ツクルは、心《こころ》に強《つよ》くちかった。

ピンポーン。

「ツクル、いるかー？」

来《き》た！　うわさをすれば、だ。

声《こえ》は大《おお》きいし、玄関《げんかん》のドアをドンドンたたいている。やかましいなあ。

今日《きょう》は、お父《とう》さんもお母《かあ》さんも仕事《しごと》で留守《るす》なんだ。

ドアを開《あ》けると、「よっ、元気《げんき》か？」といって、トミーがニカッと笑《わら》った。

「近所迷惑《きんじょめいわく》だよ。マンションの廊下《ろうか》は音《おと》がひびくんだって。もう四年生《ねんせい》なんだから、わかるでしょ」

「はいはい。そういうツクルも、もう四年生《ねんせい》なんだから、ズル休《やす》みはしないように」

トミーは、ランドセルからプリントをとりだしながらいった。

まったく。だれのおかげで休《やす》むことになったと思《おも》ってるんだよ。文句《もんく》をいいたかったけれど、わざわざ学級《がっきゅう》だよりを、もってきてくれたので、「ありがとう」と、いって受《う》けとった。

そんなもやもやしたツクルの顔《かお》を楽《たの》しむように、トミーがニヤリとした。

「ところで、今日《きょう》は、しゃべるキカイに夢中《むちゅう》のツクルくんに、ぴったりのニュースをもってきてやったぞ」

えっ。たった今《いま》、トミーからの情報《じょうほう》は買《か》わないとちかったところなんだけど……。

「電話《でんわ》か、自転車《じてんしゃ》か、どっちを知《し》りたい？」

「ふたつもあるの？」

トミーが大《おお》きくうなずいた。

いつになく具体的《ぐたいてき》だ。これは、もしかしたら、いい話《はなし》かもしれない。

「電話《でんわ》は、いくら？」

「コーラグミ、三個《こ》でどうだ?」

うーん、高《たか》いなあ……。あっ、そうだ。いい考《かんが》えがある!

「それなら、もっといいものあげるよ」

ツクルは、明《あか》るい声《こえ》でいった。

すると、「ちょっと、まて!」と、トミーがあわてたように、ツクルを止《と》めた。

「ツクルの作《つく》ったニセ発明品《はつめいひん》ならいらないぞ。この前《まえ》もらった変《へん》なチョコは、食《た》べたとたん涙《なみだ》が止《と》まらなくなって大変《たいへん》だった」

「でしょ。どんなにつまらない映画《えいが》でも泣《な》ける『感動《かんどう》チョコ』。ハバネロとわさびをねりこんだんだ」

「せっかく作《つく》るなら、もうちょっと役《やく》に立《た》つものを作《つく》れよ」

失礼《しつれい》な。あの発明品《はつめいひん》の価値《かち》がわからないなんて……。
「じゃあ、コーラグミ、二個《こ》ならいいよ」
トミーは、「まあ、いいだろう」といって、
ズボンのポケットから革張《かわば》りの手帳《てちょう》をとりだした。
その中《なか》の一枚《まい》をビリッとやぶいて放《ほう》ってよこす。
「きのう、電話《でんわ》ボックスで雨《あま》やどりしていた
男子《だんし》が、だれかと電話《でんわ》していた、らしい」
やぶかれた紙《かみ》にも、おなじことが
書《か》かれていた。あいかわらず、きたない字《じ》だ。
「それで？」
ツクルは、聞《き》いた。

まさか、これだけの情報《じょうほう》じゃないだろう。

「それだけ、だ」

トミーが、さも当然《とうぜん》のようにいった。

「えー、なにそれ？　男子《だんし》って、だれ？　それに、これ、ほんとに改造《かいぞう》ロボットの情報《じょうほう》なの？　男《おとこ》の子《こ》が家《いえ》に電話《でんわ》かけてただけかもしれないじゃん」

トミーは、ぷいっと横《よこ》をむいて、だんまりを決《き》めこんでいる。

くそお。しかたない。こうなると、なにがあってもしゃべらないんだ。

「はい、ごくろうさま」

情報《じょうほう》と引《ひ》きかえのグミをわたす。

「まいど、どうも。自転車《じてんしゃ》の話《はなし》はどうする？」

「やめとく」

きっと、だれかが自転車《じてんしゃ》で走《はし》ってた、とかいうんだろう。そんな情報《じょうほう》に、ギャラはもう払《はら》いたくない。

「そうか。じゃあ、お大事《だいじ》に！」

いつものように、嵐《あらし》のようにやってきて、さっさと帰《かえ》っていった。

やぶかれた紙《かみ》に目《め》をやる。

電話《でんわ》ボックスは、町内《ちょうない》にいくつもあるわけじゃない。ずいぶんターゲットがしぼりこめた。

うそか、本当《ほんとう》か……。

もうすこし、さがしてみようかな。

ハロー、パンクス

「おい、シュンスケ。これから、アスレチック公園《こうえん》に行《い》こうぜ」

シュンスケが遊《あそ》びに行《い》くと、リョウくんが、玄関《げんかん》でまちかまえていた。

「えっ、でも、となり町《まち》だよ。遠《とお》くない？」

いつもなら、車《くるま》に乗《の》ってでかける公園《こうえん》だ。

すると、リョウくんは、「じゃ、じゃーん。誕生日《たんじょうび》に、買《か》ってもらったんだ」といって、うしろにかくしていたものを自慢《じまん》げに見《み》せた。

すごい！　ピカピカの自転車《じてんしゃ》だ。

「いいだろ。電気《でんき》の力《ちから》でアシストしてくれるんだ」

「アシストって？」

「ペダルをこぐのを手伝《てつだ》ってくれるってこと。疲《つか》れないし、坂道《さかみち》だってラクラクだ」

「へえ、すごいね、でも……」

リョウくんはいいけど、シュンスケのは、ふつうの自転車《じてんしゃ》だ。となり町《まち》なんて、ムリだよ。

「シュンスケには、姉《ねえ》ちゃんのをかしてやる」

「えっ、いいの？」

やった。それなら行《い》ける。

「でも、かってにかりて、おこられない？」

となりに置《お》いてある、ピンク色《いろ》のハデな自転車《じてんしゃ》を見《み》ていった。

「今日《きょう》はでかけてるから、使《つか》えるんだ。いわなきゃ、ばれないって」

シュンスケは、すこし不安《ふあん》な気持《きも》ちになった。

でも、リョウくんは、早《はや》くでかけたくてうずうずしているみたい。

「今《いま》から行《い》けば、五時《じ》のチャイムまでには帰《かえ》ってこられる」

「リョウくん、道《みち》わかるの？」

「それは、シュンスケにまかせた」

そういって、シュンスケの背中《せなか》をドーンとたたいた。

ええーっ、いつもは車《くるま》で寝《ね》ちゃって、起《お》きるとついてるんだ。道《みち》なんて、知《し》らないよ。

「だいじょうぶ。姉《ねえ》ちゃんの自転車《じてんしゃ》には、ナビがついてるんだ」

「ナビって？」

「こいつが、道案内《みちあんない》をしてくれるんだ」

リョウくんが、ピンクのスイッチをおすと、スマホみたいな画面《がめん》に地《ち》図《ず》がうつった。

「ハロー、ワタシはパンクスです。行《い》きたいトコロをドウゾ」

すごい。ナビがしゃべった！

パンクスって名前《なまえ》なんだ……。なんだか、パンクしそうで、やだね。

「アスレチック公園《こうえん》」

リョウくんがいった。

「ルートをセッテイしました」

地図《ちず》に、ここからアスレチック公園《こうえん》までのルートが表示《ひょうじ》された。これなら、道《みち》に迷《まよ》わなくてすむね。

「よし、出発《しゅっぱつ》するぞ。案内《あんない》しろ！」

リョウくんにいわれて、シュンスケは、ピンクの自転車《じてんしゃ》に飛《と》び乗《の》った。

ペダルをこぐと、グンと、自転車《じてんしゃ》がかってに加速《かそく》した。

すごい、気持《きも》ちいい！

耳《みみ》もとを風《かぜ》がビュンビュンいいながら通《とお》りぬけていく。

「やっほーい！」

うしろから、リョウくんの楽《たの》しそうな声《こえ》がした。ピカピカの自転車《じてんしゃ》も、
調子《ちょうし》がいいみたいだ。

「すごい、すごい！」

あっという間《ま》に、小《ちい》さなカフェの角《かど》を曲《ま》がった。

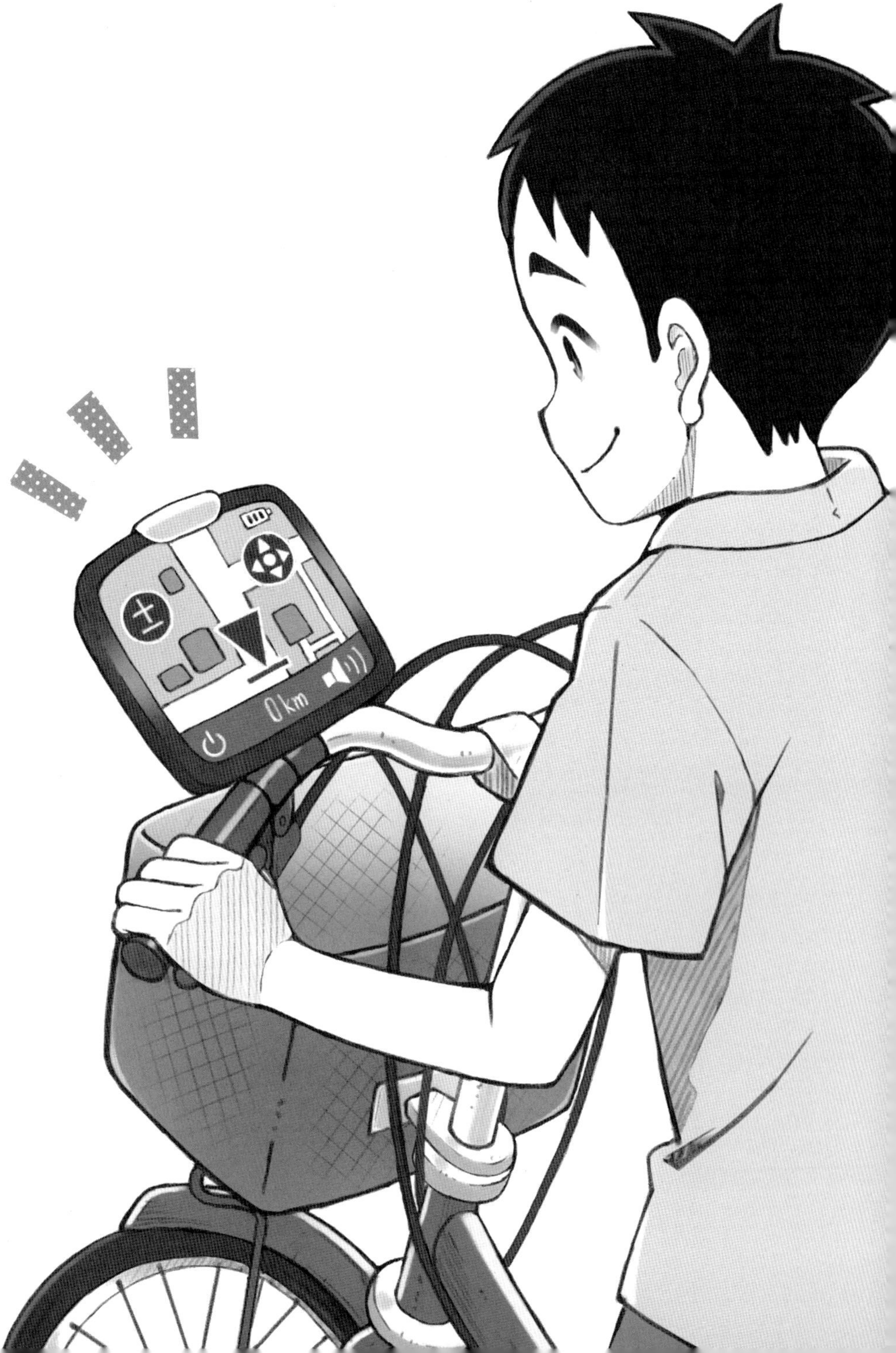
0km

「左《ひだり》に見《み》えたのは、カフェ、デシタ。ココに来《き》たら、ハニーレモネードを注文《ちゅうもん》シマショウ。トテモ美味《びみ》デス」

「自転車《じてんしゃ》はジュースなんか飲《の》まないでしょ……」

よけいなことも、しゃべるんだね。

それにしても、楽《らく》チンだ。

さっきから、ほとんどペダルに力《ちから》を入《い》れてないけど、どんどん進《すす》んでいく。

低学年《ていがくねん》の子《こ》たちが、うらやましそうに、シュンスケたちを見《み》ている。

自分《じぶん》の自転車《じてんしゃ》じゃないけど、得意《とくい》な気分《きぶん》だった。

「ねえ、もっとスピードだそうよ」

「安全《あんぜん》ダイ一デス」

ちぇっ、つまんないの。

すこしペダルをこぐスピードを上《あ》げてみた。ところが、走《はし》るスピードは変《か》わらない。

「もしかして、パンクスがスピードをコントロールしてる？　そんなことできるの？　ねえ、ちょっと、聞《き》いてる？」

パンクスのやつ、無視《むし》するようになっちゃった。最新《さいしん》のナビって、こんなに人間《にんげん》っぽいんだっけ？

そのとき、いきなり、ハンドルがひとりでに動《うご》きはじめてルートから外《はず》れた。

「ターゲット、ハッケン！」

えっ、なに、なに？

やっぱり、パンクスは、ただのナビじゃない。ハンドルも、スピードも、ぜんぶパンクスの意思《いし》で動《うご》かせるんだ。

「おい、まてよ。どうなっているんだ?」

リョウくんが大声《おおごえ》をだした。

そんなこといったって、知《し》らないよ!

パンクスは、かってに右《みぎ》に曲《ま》がり、左《ひだり》に曲《ま》がった。

すると、反対《はんたい》から、中学生《ちゅうがくせい》が歩《ある》いてくる。

「ねえ、ちょっと、前《まえ》から人《ひと》が来《く》るよ。気《き》をつけて、ねえ、ちょっと……」

ぶつかる！
あわてて、思《おも》いっきりブレーキを引《ひ》いた。
でも、止《と》まらない。どうして、助《たす》けて！
ようやく、お兄《にい》さんのすこし手前《てまえ》で
スピードが落《お》ちた。ゆっくりと、すれちがう。
シュンスケは、冷《ひ》や汗《あせ》をびっしょりかいていた。
「ミクサン、アノ人《ひと》にあうとヨロコブ」
パンクスがいった。
なんだよ。そんなことで、寄《よ》り道《みち》しないでよ。
そもそも、ミクさんってだれ？
「あれが、姉《ねえ》ちゃんが好《す》きな人《ひと》か」

ああ、ミクさんって、リョウくんのお姉《ねえ》さんのことか……。

もしかして、ハニーレモネードが好《す》きなのもミクさん？

「ミクさんが乗《の》っているときも、パンクスは今《いま》みたいにかってに運転《うんてん》するの？」

「イイエ、ミクサンのオッケーをモラワナイとおこられマス」

ん？　もしかして、パンクス、乗《の》っている人《ひと》がいつもとちがうから、やりたい放題《ほうだい》してる？

「サア、安全運転《あんぜんうんてん》でイキマショウ！」

絶対《ぜったい》に、そうだ。ミクさんじゃないから、羽《はね》を伸《の》ばしてるんだ。

「かってに、寄《よ》り道《みち》しないでよね」

シュンスケは、やや機嫌《きげん》をそこねた。

「オコラナイ、オコラナイ。ルートを変《か》えて、チカミチします」

よかった。やっと、心《こころ》が通《つう》じたみたい。

「ソレカラ、ワタシがいろいろできるコトは、ナイショデス」

ほんと変《へん》なナビだね。


近道《ちかみち》といわれて、やってきたのは、ふつうの自転車《じてんしゃ》なら上《のぼ》れないような、きゅうな坂道《さかみち》だった。

右側《みぎがわ》は木々《きぎ》にかこまれた神社《じんじゃ》、左側《ひだりがわ》はうっそうとした林《はやし》で、なんだかうす暗《ぐら》い。

「サア、ハリキッテイキマショウ！」

こんなガケみたいな坂《さか》、上《のぼ》れるの？

シュンスケは、おっかなびっくりペダルをふみこんだ。

グンと、いきおいよく上《のぼ》る。

すごい、すごい！　平《たい》らな道《みち》を走《はし》っているみたいにペダルが軽《かる》い。

「電動《でんどう》って、すげーな」

リョウくんも、興奮《こうふん》ぎみだ。

ところが、突然《とつぜん》ナビの画面《がめん》が赤《あか》く変《か》わった。なにか、トラブルが起《お》きたんだ。

「電池《でんち》がアリマセン。あと、一分《ぷん》でなくなりマス」

「電池《でんち》がなくなっちゃったら、どうなるの？」

シュンスケは、おそるおそる聞《き》いた。

「ただのオモイ自転車《じてんしゃ》になりマス」

「えええっ、こんなところで困《こま》るよ！」
こんな坂道《さかみち》の真《ま》ん中《なか》で、どうしたらいいのさ。
「こげ、こげっ！　電池《でんち》が切《き》れたら、ころげ落《お》ちるぞ」
リョウくんの声《こえ》だ。

そうだ！　なげいている場合《ばあい》じゃない。

「あと、三十びょうデス」

うあああ。シュンスケは、思《おも》いっきりこいだ。

「あと、十びょうデス。九、八、七……」

「ついたー！」

ぎりぎりのところで、坂《さか》の上《うえ》の平《たい》らなところまでたどりついた。助《たす》かった。

「まったく、姉《ねえ》ちゃん、なんで充電《じゅうでん》してないんだよ」

リョウくんが、文句《もんく》をいった。

でも、確認《かくにん》しなかったのは、自分《じぶん》たちのミスだよ。

「ドウしたいデスカ？」

遠《とお》くにアスレチック公園《こうえん》が見《み》えた。

でも、このまま電池《でんち》が切《き》れたら帰《かえ》れなくなっちゃう。

「おねがいだから、家《いえ》に帰《かえ》してよ」

ところが、ナビが点《てん》めつしてる。

「ペダルを……反対《はんたい》にコぐと、充電《じゅうでん》デキマ……ス……」

それだけいうと、ナビの画面《がめん》がまっ暗《くら》になった。電池《でんち》が切《き》れたんだ。

さっきパンクスがいったように、ペダルがきゅうに重《おも》たくなった。アシストがないと、こんなに重《おも》いんだ。

これじゃあ、帰《かえ》れない。

「充電《じゅうでん》するしかないな。おれ、こぐよ」

リョウくんは、充電《じゅうでん》ボタンをおすと、スタンドを立《た》てて、逆回《ぎゃくまわ》りにこぎはじめた。電池《でんち》のランプがチカチカ光《ひか》る。充電《じゅうでん》しているみたいだ。

こいで充電《じゅうでん》できる自転車《じてんしゃ》なんて、初《はじ》めて見《み》たよ。こんなの、どこで売《う》ってるんだろう。

今《いま》まで気《き》づかなかったけれど、ナビのうらに、やじるしの変《へん》なシールがはってある。こんなマークの自転車《じてんしゃ》メーカーあったかな？

「まだ、だめか？」

リョウくんが、顔《かお》をまっ赤《か》にさせている。

ようやく、パンクスが復活《ふっかつ》した。

「まだタリマセン。モット、こいでクダサイ。モット。モット！」

あたりが、ますます暗《くら》くなってきた。

早《はや》く帰《かえ》らないと、夜《よる》になっちゃう。

「ライトをツケマショウ」

明《あか》るくなった。その瞬間《しゅんかん》、ナビがまっ暗《くら》になった。

「えっ、なんでだ？」

「きっと、ライトをつけたから、電池《でんち》がなくなったんだよ」

「まじか！」

リョウくんは限界《げんかい》みたい。足《あし》がぷるぷるしてる。

交代《こうたい》しよう。

シュンスケは、力《ちから》いっぱい、必死《ひっし》にこいだ。

「オハヨウゴザイマ……センデスネ」

ようやく、パンクスがとんちんかんなことをいって起《お》きた。

「サッサと、カエリマショウ！」

「電池《でんち》は、だいじょうぶなの？　ライトをつけたら、またなくなっちゃうんじゃない？」

「ぎりぎりデス。ただ、今度《こんど》はアシストをやめマス。アシストしなければ、電池《でんち》はあまりへリマセン」

どういうこと？　アシストしないんじゃ、重《おも》たくてペダルをこげないはずだけど……。

「シッカリつかまっていてクダサイ」

そういうと、ハンドルがかってに回《まわ》って、自転車《じてんしゃ》のむきが変《か》わっていく。

目《め》の前《まえ》には、ガケのような坂道《さかみち》だ。

「ジェットコースターは、好《す》きデスか？」

「うん、まあ……」

「それはヨカッタ」

ぐらりと、自転車《じてんしゃ》が前《まえ》に進《すす》んだ。

もしかして、アシストしない理由《りゆう》って、この坂道《さかみち》をかけ下《お》りるってこと？

「シンジテクダサイ！」

「わっ、うわあああっ！」

パンクスが坂道《さかみち》をころがるようにかけ下《お》り始《はじ》めた！

ペダルは、こがなくても回《まわ》る、回《まわ》る。
足《あし》がからぶりしているみたい。
ハンドルもひとりでに動《うご》いている。
うっそうとした林《はやし》をぬけると、
急《きゅう》に視界《しかい》が開《ひら》けた。
なんだ、まだ明《あか》るいや。
県道《けんどう》にでると、すごいスピードで、
車《くるま》をよけ、街路樹《がいろじゅ》をよけ、歩道《ほどう》に入《はい》った。
すると、電話《でんわ》ボックスのわきに、
四年生《ねんせい》くらいの男《おとこ》の子《こ》がうろうろしている。
「あぶないっ！　わー、ぶつかる。

パンクス、止《と》まってよ。助《たす》けてぇ！
パンクス！　パンクスー！」
パンクスの名前《なまえ》を連呼《れんこ》しながら、
思《おも》いっきりブレーキを引《ひ》いた。
でも、止《と》まらない。
シュンスケは、目《め》をぎゅっと閉《と》じて、
ハンドルにしがみついた。
でも、さすがパンクスだった。
ギリギリのところでかわすと、
そのまま歩道《ほどう》を突《つ》っ走《ぱし》った。
線路《せんろ》をこえて、右《みぎ》へ、左《ひだり》へ曲《ま》がる。

「まずいよ、車《くるま》が来《き》るよ！」

シュンスケの言葉《ことば》がとどいたのか、パンクスは横断歩道《おうだんほどう》の前《まえ》で力《ちから》つきたようにピタッと止《と》まった。

「あー、死《し》ぬかと思《おも》った……」

目《め》の前《まえ》を、電気工事屋《でんきこうじや》さんのかっこいい軽《けい》バンが通《とお》りすぎていった。

横断歩道《おうだんほどう》のさきに、小《ちい》さなカフェが見《み》える。

よかった。帰《かえ》ってきたんだ。

もう、これ以上《いじょう》は、すわっていられない。

自転車《じてんしゃ》からおりると、足《あし》がガクガクふるえていた。ハンドルをにぎりっぱなしだった手《て》にも、力《ちから》が入《はい》らない。なんとかスタンドを立《た》てると、力《ちから》がぬけて、すとんとしりもちをついた。

「おーい、だいじょうぶかあ！」

リョウくんも追《お》いついた。

「オヤスミナサイ……」

あ〜あ、パンクスは、
また電《でん》池《ち》切《ぎ》れだね。

002 発見《はっけん》! さかさまシール

ツクルは、トミーから買《か》った情報《じょうほう》の紙《かみ》に目《め》をやった。

タブレットで調《しら》べてみたら、公衆電話《こうしゅうでんわ》は町内《ちょうない》に十五台《だい》、そのうち電話《でんわ》ボックスは、たったの四台《だい》だった。

このうちの一台《だい》が、改造《かいぞう》ボットなんだ!

いてもたってもいられずに、町内《ちょうない》の電話《でんわ》ボックスをひとつずつ見《み》てまわることにした。

一台目《だいめ》の電話《でんわ》ボックスは、すぐに見《み》つかった。

タブレットにうつした地図《ちず》の上《うえ》で、電話《でんわ》ボックスの場所《ばしょ》と、タブレットのGPS《ジーピーエス》情報《じょうほう》がぴったり重《かさ》なっている。

電話《でんわ》ボックスをまじまじと見《み》るのは初《はじ》めてだった。

十円玉《えんだま》か百円玉《えんだま》を入《い》れると、電話《でんわ》がかけられるらしい。

家《いえ》にも電話《でんわ》はあるけど、こんなに大《おお》きくない。やっぱりテレホンカードが使《つか》えるようにかな。いったい、中《なか》はどうなっているんだろう。

警察《けいさつ》や消防《しょうぼう》に電話《でんわ》をするときは、赤《あか》いボタンをおせば、お金《かね》はかからないらしい。

「すごいな。よくできてる」

ツクルは、素直《すなお》に感心《かんしん》した。

いやいや、今日《きょう》は改造《かいぞう》ボットをさがしに来《き》たんだった。

さかさまシールをさがしたり、話《はな》しかけたりしたけれど、どうやらここじゃないみたい。

二台目《だいめ》も、その次《つぎ》もちがう。家《いえ》に近《ちか》い三台《だい》はぜんぶハズレだった。残《のこ》るは、線路《せんろ》のむこうにある電話《でんわ》ボックスだ。

「あった！」

最後《さいご》の一台《だい》は、県道《けんどう》のわきにポツンと立《た》っていた。

ボックスの外《そと》から見《み》た感《かん》じでは、とくに変《か》わったところはなさそうだ。

やっぱり、トミーの情報《じょうほう》はガセネタだったか……。

ところが、うらにまわって下《した》からのぞきこんだとき、やじるしのかかれたシールが、キラリと光《ひか》った。

「さかさまシールだ！　初《はじ》めて見《み》た」

急《きゅう》に、心臓《しんぞう》がドキンドキンしてきた。

どうやったら話《はな》せるんだろう。

電話《でんわ》だから、やっぱり受話器《じゅわき》を上《あ》げて、話《はな》すのかな？

あれ、入《い》り口《ぐち》はどっちだっけ？

うろうろしていると、突然《とつぜん》うしろから、さけび声《ごえ》が上《あ》がった。

「あぶないっ！　わー、ぶつかる……」

ふり返《かえ》ると、ピンクの自転車《じてんしゃ》がものすごいスピードでむかってくる。

「……助《たす》けてぇ！　パンクス！　パンクスー！」

自転車《じてんしゃ》に乗《の》った男《おとこ》の子《こ》がパニックになっている。

うわっ、あぶないっ！

こわくて体《からだ》が動《うご》かない。固《かた》まっていると、ピンクの自転車《じてんしゃ》はするりとよけて、スピードも落《お》とさず、ぶっとばしていく。そのあとから、もう一台《だい》の自転車《じてんしゃ》が追《お》いかけていった。

たぶん、上級生《じょうきゅうせい》だ。六年生《ねんせい》かもしれない。知《し》らない顔《かお》だった。

でも、まてよ。今《いま》、自転車《じてんしゃ》のことをパンクスって呼《よ》んでなかった？

もしかして、改造《かいぞう》ボット？

そのとき、ツクルの頭《あたま》の中《なか》が、ぐるんと回転《かいてん》した。

さっきのトミーの言葉《ことば》が頭《あたま》の中《なか》で流《なが》れる。

「電話《でんわ》か、自転車《じてんしゃ》か、どっちを知《し》りたい？」

きっとそうだ。トミーが知《し》ってる情報《じょうほう》は、あの自転車《じてんしゃ》のことだ！

どうする？

一瞬《いっしゅん》、目《め》の前《まえ》の電話《でんわ》ボックスと迷《まよ》った。

電話《でんわ》ボックスは、動《うご》かない。明日《あした》も、あさってても同《おな》じ場所《ばしょ》にある。

でも、自転車《じてんしゃ》は今《いま》追《お》いかけないと、もう会《あ》えないかもしれない。

「自転車《じてんしゃ》を追《お》いかけよう！」

ツクルは、ピンクの電動自転車《でんどうじてんしゃ》を追《お》いかけて、走《はし》りだした。

あの男子《だんし》は「助《たす》けてぇ！」っていってた。

もしかして、なぞのエンジニアは、悪《わる》い人《ひと》なのかもしれない。だから、話《はなし》が広《ひろ》まらないように、改造《かいぞう》ボットのことをひみつにしているのかも。

これは、いよいよ、正体《しょうたい》をつき止《と》めないといけない。

ところが、ピンクの自転車《じてんしゃ》はわき道《みち》に曲《ま》がったらしく、見失《みうしな》ってしまった。

足《あし》も限界《げんかい》らしく、ぷるぷるいっている。

「あれっ、ちがうな。はい、もしもし……」

ぷるぷるいってたのは、ケータイだった。

「ツクル？　今《いま》、どこにいるの？　今日《きょう》は学校《がっこう》を休《やす》んだんでしょう？」

あちゃあ、忘《わす》れてたよ。クラスのだれかに見《み》られたら、めんどうだ。

「それから、時計《とけい》の針《はり》が透明《とうめい》で見《み》えないんだけど、犯人《はんにん》はだれ？」

おっ、さすが母《かあ》さん。ただ、直《なお》したんじゃつまらないから、アクリルで新《あたら》しい針《はり》を作《つく》って、付《つ》けかえてみたんだ。

「いいでしょ。時間《じかん》のわからない時計《とけい》」

「不便《ふべん》だから、すぐに直《なお》して！」

おっきな声《こえ》……。耳《みみ》がキーンとなった。

「わかったよ、すぐ帰《かえ》るよ」

しかたがない。

電話《でんわ》ボックスは、明日《あした》のお楽《たの》しみだ！

電話《でんわ》ボックスのエデン

突然《とつぜん》、どしゃぶりの雨《あめ》がふりはじめた。

カズヤは、あわててランドセルを開《ひら》いた。ところが、入《い》れてあったはずの折《お》りたたみ傘《がさ》がない。

「えっ、うそでしょ！」

ランドセルの中《なか》をゴソゴソあさったけれど、やっぱりどこにもない。

そうだ。思《おも》いだした！

「置《お》き傘《がさ》にしようとして、教室《きょうしつ》のロッカーに入《い》れてきたんだった」

ばかだった。まさか、ついさっきまで、いい天気《てんき》だったのに、こんな

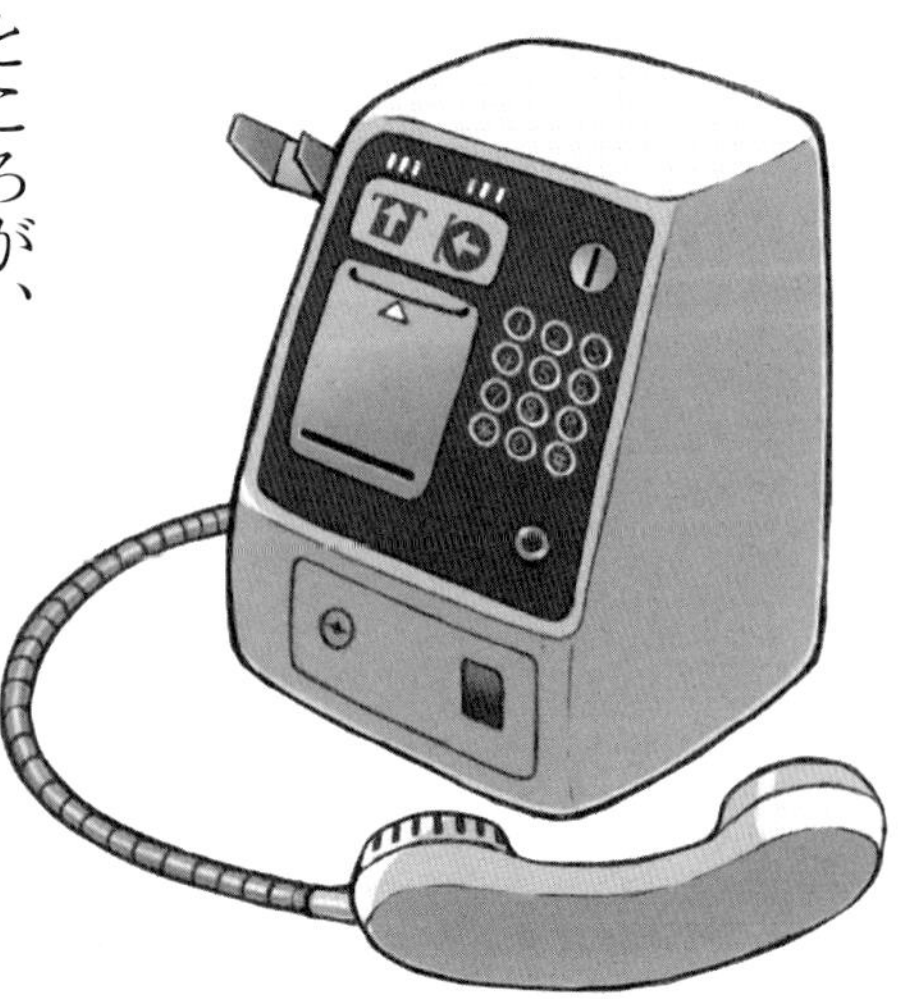

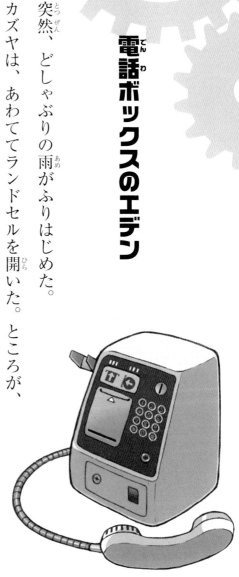

大雨《おおあめ》になるなんて……。

とっさに、近《ちか》くにあった、電話《でんわ》ボックスに、にげこんだ。

「ふう」

電話《でんわ》ボックスのガラスにバチバチあたる雨《あま》つぶを見《み》ながら、大《おお》きく息《いき》をはいた。

「毎日《まいにち》通《とお》ってたのに、こんなところに、公衆電話《こうしゅうでんわ》の電話《でんわ》ボックスがあるなんて、知《し》らなかった」

雨《あま》やどりにぴったりだ。

「お金《かね》があったら、お母《かあ》さんに電話《でんわ》して、傘《かさ》をもってきてもらうんだけどなあ」

プゥルルルルルル。

ん？　なんの音《おと》だろう？
公衆電話《こうしゅうでんわ》からなっているみたいだ。
家《いえ》でも、電話《でんわ》なんかとったことないよ。
どうにも、おさまる気配《けはい》がない。
カズヤは、「よし」といって、
受話器《じゅわき》をとった。
「もしもし？」
すると、受話器《じゅわき》のむこうから、
女《おんな》の人《ひと》の声《こえ》がした。
「どうかしましたか？」
ほんとに、電話《でんわ》がつながっている。

「だれ？」

カズヤは、びっくりして聞《き》いた。

「あらあら、名前《なまえ》を聞《き》くときは、自分《じぶん》から名乗《なの》るものよ」

おこられちゃった。

「ごめんなさい。ぼく、カズヤです」

「カズヤくんね。こんにちは。わたしは、エデン、よろしくね」

やさしそうな声《こえ》で安心《あんしん》した。

「雨《あめ》つよいね。傘《かさ》はもっていないのかな？」

「うん。学校《がっこう》に置《お》いてきちゃった」

「おうちの電話番号《でんわばんごう》はわかる？」

えっと……。たしか、ランドセルに書《か》いてあったはず。

「あった！」

「じゃあ、いったん受話器《じゅわき》を置《お》いてから、ダイヤルしてみて」

「でも、お金《かね》が……」

「だいじょうぶ。わたしに、まかせて」

ツーツー。

「切《き》れちゃった」

おしゃべり、楽《たの》しかったのにな。

バチバチバチバチ。

うわっ、さっきより、うちつける雨《あめ》が強《つよ》くなってきた。

とにかく、うちに電話《でんわ》だ。

「お金《かね》、本当《ほんとう》にだいじょうぶなんだよね」

トゥルルルルルル。

つながった！

「はい、もしもし」

あれっ？　お母《かあ》さんの声《こえ》みたい？

「お母《かあ》さん？」

「なに、カズヤ？　どこからかけてるの？」

「丘《おか》の公園《こうえん》のそばの電話《でんわ》ボックス。傘《かさ》がなくて雨《あま》やどりしてる」

「お金《かね》なんか、もってないでしょう？」

「知《し》らないけど、通《つう》じたよ。ねえ、傘《かさ》、もってきて」

「わかったから。今《いま》、むかえにいくから、そこでまってなさいよ」

ガチャッと切《き》れた。

すごい、すごい。お母《かあ》さんにつながった。

「ありがとう」

受話器《じゅわき》にむかって、お礼《れい》をいうと、「てへへ」という笑《わら》い声《ごえ》が聞《き》こえたような気《き》がした。


次《つぎ》の日《ひ》、カズヤは、また電話《でんわ》ボックスに行《い》ってみた。

ガタン、とドアを開《あ》けたとたん、電話《でんわ》がなった。

「もしもし？」

「ヤッホー、カズヤくん、かぜひかなかった？」

やった。やっぱり、エデンだ。

「きのうは、ありがとう。お礼《れい》をいいにきたんだ」

「あらあら、どういたしまして。でも、わたしのことは、ほかの人《ひと》には内緒《ないしょ》よ。約束《やくそく》できる？」

「うん、わかった。約束《やくそく》する」

カズヤが答《こた》えると、エデンはホッとしたようだった。

「今日《きょう》は、学校《がっこう》はどうだった？」

一瞬《いっしゅん》、言葉《ことば》につまった。エデンに聞《き》かれて、いやなことを思《おも》いだしちゃった。あんまり、話《はな》したくないな。

「なにかあったの？」

エデンは、するどい。心配《しんぱい》そうに聞《き》いてくれた。

「じつはね……」

と、カズヤは打《う》ち明《あ》けた。

「授業中《じゅぎょうちゅう》、ぼく、しゃべってないのに、先生《せんせい》にうるさいっておこられたんだ」

「それは、災難《さいなん》だったわね」

「信《しん》じてくれる?」

「もちろん。カズヤくんは、ちゃんと授業《じゅぎょう》を聞《き》く子《こ》だって、知《し》っているから」

ありがとう。

エデンにわかってもらえて、とってもいい気分《きぶん》だった。

そのとき、ガチャ、とドアが開《ひら》く音《おと》が聞《き》こえた。

ふり返《かえ》ると、サラリーマンのおじさんが、携帯電話《けいたいでんわ》で話《はな》しながら入《はい》ってきた。

「ああ、なんだ人《ひと》がいたのか」

おじさんは、おどろいたような、いやそうな顔《かお》をした。

「ごめんなさーい」

カズヤは、あわてて受話器《じゅわき》をきって、電話《でんわ》ボックスから飛《と》びだした。

走《はし》りながら、考《かんが》えた。

おかしいな。なんで、にげたんだろう。なんにも悪《わる》いことしてないのに……。

あのおじさん、携帯電話《けいたいでんわ》なんだから、電話《でんわ》ボックスに入《はい》らなくてもいいじゃん。

あとから、ムカムカしてきた。

まあいいいや。また、明日《あした》行《い》こう。

どんな話《はなし》をしようかな。

次《つぎ》の日《ひ》、学校《がっこう》が終《お》わると、まっすぐエデンに会《あ》いに行《い》った。

ところが、電話《でんわ》ボックスのあたりに、ひとだかりが見《み》える。

なんだろう？

近《ちか》くまで来《き》て、自分《じぶん》の目《め》が信《しん》じられなかった。

電話《でんわ》ボックスがなくなっている！

工事《こうじ》の人《ひと》が、電話《でんわ》ボックスをトラックにのせて、どこかへ運《はこ》ぶところだったんだ。

「エデン！」

ブロロロロロ。

くさい排気《はいき》ガスをだし
ながらトラックが
発車《はっしゃ》した。

エデンが行《い》っちゃう！
カズヤは、トラックを
追《お》いかけて走《はし》った。
「エデン！」
名前《なまえ》を呼《よ》んでみたけれど、
答《こた》えはない。
電気《でんき》が通《とお》っていないから、

しゃべれないんだ！
トラックは、どんどん
先《さき》へ行《い》ってしまう。
そして、とうとう、
見《み》えなくなってしまった。

「行《い》っちゃった……」

気《き》づいたら、泣《な》いていた。
とても、仲《なか》のいい友《とも》だちと
お別《わか》れしたような気《き》分《ぶん》だった。

悲《かな》しくて、あれから、ちがう道《みち》から帰《かえ》るようにしている。なんどか電《でん》話《わ》ボックスのあった場《ば》所《しょ》に行《い》ってみたけど、エデンはもういない。

「カズヤ、なにかあったら、お母《かあ》さんにいってね」

心《しん》配《ぱい》かけてごめんなさい。でも、どうにも元《げん》気《き》がでないんだ。

プルルルルル。

家《いえ》の電《でん》話《わ》がなった。

「カズヤー、ちょっと手《て》がはなせないから、電《でん》話《わ》にでてー！」

キッチンから、お母《かあ》さんの大《おお》きな声《こえ》がとんできた。

「もしもし？」

「だーれだ？」

声《こえ》を聞《き》くなり、自《し》然《ぜん》と涙《なみだ》がこぼれた。

よく知《し》っている声《こえ》だったからだ。

「エデン、今《いま》、どこにいるの？」

「心配《しんぱい》した？」

もう、心配《しんぱい》したどころじゃないよ。

でも、なんだかくやしいから、

「ぜんぜん」

と、いってやった。

「素直《すなお》じゃないわね」

と、エデンは笑《わら》った。

「今《いま》ね、わたし、のどかないなかの駅《えき》にいるの。あんまり電車《でんしゃ》も来《こ》ないし、

ひまだから、ときどき電話《でんわ》するね」

「うん！」

003

消《き》えた手《て》がかり

学校《がっこう》が終《お》わると、ツクルは、さっそく電話《でんわ》ボックスにいそいだ。

「……え？」

県道《けんどう》にでると、なんだか景色《けしき》がきのうとちがって見《み》えた。

遠《とお》くからでもわかる。電話《でんわ》ボックスが、きれいさっぱりなくなっている。

「きのうは、たしかにあったのに……」

おなじことを考《かんが》えていた子《こ》がいたみたいだ。

ぼう然《ぜん》として、立《た》ちすくんでいる男《おとこ》の子《こ》がいた。

ブロロロロロ。

くさい排気《はいき》ガスをだしながら、トラックが走《はし》りだした。見《み》ると、おどろいたことに、荷台《にだい》に電話《でんわ》ボックスがのっている。

「エデン！」

その子《こ》は大声《おおごえ》でさけぶと、トラックを追《お》いかけて走《はし》りだした。

今《いま》、名前《なまえ》を呼《よ》んだ？　呼《よ》んだよね？

もしかして、改造《かいぞう》ボットの電話《でんわ》ボックスと友《とも》だちなの？

ツクルも、あとから追《お》いかけた。

「エデン、エデン！」

男《おとこ》の子《こ》は、ずっと名前《なまえ》を呼《よ》びながら追《お》いかけている。

もう、まちがいない。

「行《い》っちゃった……」

とうとう、トラックが見《み》えなくなって、男《おとこ》の子《こ》も止《と》まった。肩《かた》をゆらして泣《な》いている。

「エデンって、友《とも》だちなの？」

声《こえ》をかけると、男《おとこ》の子《こ》は涙《なみだ》でいっぱいの顔《かお》でじろりとツクルをにらみつけてから、しぼりだすようにいった。

「約束《やくそく》……したんだ」

そういうなり、ランドセルをガチャガチャいわせて、男《おとこ》の子《こ》は走《はし》って行《い》ってしまった。

なにを約束《やくそく》したんだろう？

事情《じじょう》はわからないけど、あの子《こ》にとって電話《でんわ》ボックスは、きっと親友《しんゆう》だったんだ。

きのう、電話《でんわ》をかけていれば、改造《かいぞう》ボットと友《とも》だちになれたのかもしれない……。

なぞのエンジニアは、いい人《ひと》なのかな。いい人《ひと》だといいな。

それにしても……。

「また、手《て》がかりがなくなっちゃった」

エレベーターのペーター

電話《でんわ》ボックスが消《き》えた次《つぎ》の日《ひ》、ツクルは、トミーから「自転車《じてんしゃ》」の情報《じょうほう》を買《か》った。

もしかして、新《あたら》しい情報《じょうほう》があるかも、と期待《きたい》したんだ。ところが……。

「女子中学生《じょしちゅうがくせい》が、ピンクの自転車《じてんしゃ》で走《はし》っていた、らしい」

ああ、それって予想《よそう》してたとおりの答《こた》えだよ。手帳《てちょう》をやぶいた紙《かみ》にもおなじことが書《か》いてある。もちろん、それ以上《いじょう》の情報《じょうほう》はない。

「トミーはどうして改造《かいぞう》ボットのことを知《し》ってるの？」

「企業秘密《きぎょうひみつ》だ」

あ、そう。

「ありがとう」

もう、今度《こんど》こそたのまないよ。

ツクルは、泣《な》く泣《な》く、こっそり学校《がっこう》にもってきたチョコバーと交換《こうかん》した。

手《て》づまりだ。

ツクルは、学校《がっこう》の帰《かえ》り道《みち》も、さかさまシールのはられたキカイがないか、さがしながら歩《ある》いた。

でも、もうなんども調《しら》べつくした道《みち》だ。なにも見《み》つけられないまま、マンションまで帰《かえ》ってきてしまった。

おやっ？　駐車場《ちゅうしゃじょう》に、見《み》なれない軽《けい》バンがとまっている。

エレベーターホールに入《はい》ると、いつもとようすがちがっていた。

「あれ、エレベーター、使《つか》えないの？」

前《まえ》を歩《ある》いていた上《うえ》の階《かい》のママさんが、張《は》り紙《がみ》を見《み》ながらさけんだ。

本当《ほんとう》だ。エレベーターのまわりにかこいができていて、入《はい》れないようになっている。張《は》り紙《がみ》には、「点検中《てんけんちゅう》」って書《か》いてあった。

ママさんは、ぶうぶういいながら階段《かいだん》を上《あ》がっていった。

「ま、いっか。ぼくも階段《かいだん》で上《あ》がろう」

ちょうどそのとき、エレベーターが開《ひら》いた。

「どうぞ。点検《てんけん》が終《お》わったから、使《つか》っていいですよ」

作業着《さぎょうぎ》を着《き》た男《おとこ》の人《ひと》が、かこいをかたづけて、上《うえ》のボタンをおしてくれた。

ごつっとした、働《はたら》く人《ひと》の手《て》だった。

かっこいいな。

道具《どうぐ》をかたづけて、でていくうしろすがたを、ツクルは見送《みおく》った。

エレベーターのとびらから、ブッブッブッと音《おと》がした。閉《し》まりますよ、の合図《あいず》だ。

「あっ、ちょっとまって。開《あ》けて、開《あ》けて」

ボタンを連打《れんだ》する。よかった。開《ひら》いたままだ。

エレベーターに乗《の》りこんで、「閉《し》まる」のボタンをおそうとしたとき、マンションの入《い》り口《ぐち》から、スーツを着《き》たおじさんが早足《はやあし》で近《ちか》づいてくるのが見《み》えた。

あのおじさんも、乗《の》るのかな?

ツクルは、「開《ひら》く」のボタンをおしてまった。

ところが、反対《はんたい》に、エレベーターのとびらが、いきおいよく閉《し》まりはじめる。

「えっ、うそ。開《ひら》いて、開《ひら》いて！」

だめだ。閉《し》まる。どうしよう。

スーツのおじさんが、あわてたように手《て》をのばしたけど、とびらはそのまま閉《し》まった。

「ごめんなさーい！」

まちがって、「閉《し》まる」を、おしちゃったのかもしれない。

ドンドンドン！

とびらのむこうで、エレベーターをたたく音《おと》がする。スーツのおじさんがおこっているみたいだ。
おかまいなしに、エレベーターはスルスルと上《あ》がりはじめた。
「あれ、まだボタンをおしてないよ」
どうなってるんだ？
もしかして、エレベーターがおかしくなっちゃったのかもしれない。
まさか、点検《てんけん》ミス？
思《おも》わず手《て》すりにしがみついた。
すると、ホッとしたような声《こえ》が聞《き》こえた。
「ああ、コーディーに改造《かいぞう》してもらっていてよかった」
ぼそっとした、ひとり言《ごと》だ。
でも、エレベーターの中《なか》に、ほかに人《ひと》はいない。

もしかして！

ツクルは、ハッとして、あたりを見《み》わたした。

「あった！　さかさまシールだ」

通報《つうほう》ボタンの下《した》に、シールがはってある。

きのうまでは、いや今日《きょう》の朝《あさ》までは、こんなシールははってなかった。

まちがいない。今《いま》、聞《き》こえたのは、改造《かいぞう》ボットの声《こえ》だ。

うわさは、本当《ほんとう》だったんだ。

「きみは改造《かいぞう》ボット……いや、しゃべれるキカイだね？」

「おっと、しまった。聞《き》かれちゃったか、まずったな」

エレベーターがあわてている。

「だれにもいうなよ。バレると、修理《しゅうり》されちゃうからな」

「うん、わかった。だれにもいわない」

からくりがわかった。

どうりで、うわさがほとんど広《ひろ》まらないわけだ。みんな、こうやって、口止《くちど》めされていたんだな。

エレベーターは、まだ気《き》がついていないようだけれど、たった今《いま》、すごい情報《じょうほう》を聞《き》いてしまった。

なぞのエンジニアは、『コーディー』っていう名前《なまえ》なんだ。

「ぼくは、ツクル。きみの名前《なまえ》は、なんていうの？」

「そんなことまで、知《し》っているのかい？　こまったな。本当《はんとう》にだれにも内緒《ないしょ》だよ」

エレベーターは、もう一度《ど》、念《ねん》おししてから、

「わたしは、ペーターだ」

といった。

すごい。とうとう、改造《かいぞう》ボットと知《し》り合《あ》いになったんだ！

自己紹介《じこしょうかい》がすむと、ペーターが小《ちい》さな声《こえ》でいった。

「じつはな、さっきのスーツの男《おとこ》、よく見《み》かけるんだけど、悪《わる》いヤツなんだ」

ツクルは、「えええっ！」と、ビックリした。まさか、こんな近《ちか》くに、悪《わる》い人《ひと》がいるだなんて……。

「この前《まえ》、あのスーツの男《おとこ》に、男《おとこ》の子《こ》がうでをつねられて、泣《な》いちゃったんだよ」

もし、あのスーツのおじさんといっしょにエレベーターに乗《の》っていたら、つねられていたかもしれない。それを、ペーターが助《たす》けてくれたってこと？

「そのときは、ただ見《み》てることしかできなかったけど、今日《きょう》は、点検《てんけん》のついでに、改造《かいぞう》してもらったからね」

ツクルは、「ありがとう」と、お礼《れい》をいった。

点検《てんけん》ミスじゃなかった。

なぞのエンジニアのコーディーが改造《かいぞう》していたんだ。

「まだ一階《かい》のエレベーターホールをうろうろしているみたいだ。見《み》てごらん」

画面《がめん》に、スーツのおじさんが行《い》ったり来《き》たりするようすが、うつっている。

「きっと、次《つぎ》に来《く》る子《こ》どもをねらっているんだよ」

そのとき、胸《むね》がドキッとした。

七階《かい》に住《す》んでいる、おなじクラスのナナミが帰《かえ》ってきた。あたり前《まえ》のように、ボタンをおして、エレベーターをまっている。

「あれ、ぼくの友《とも》だちなんだ……」

「えっ!」と、ペーターが声《こえ》をうら返《がえ》らせた。

消火器

まずいよ。このままじゃ、ナナミがスーツのおじさんといっしょにエレベーターに乗《の》ってしまう。どうする……。

とっさに、自分《じぶん》でもびっくりすることをいった。

「ねえ、あの悪《わる》いヤツをつかまえようよ」

「ええっ！　なにをいうんだい。そんなことをしたら、あぶないよ」

ペーターが、あわてたようにいった。

でも、ほかに助《たす》ける方法《ほうほう》が思《おも》いつかない。

「だって、ナナミをひとりでエレベーターに乗《の》せていいの？」

「それは……」

「ナナミとスーツのおじさんのふたりきりにするのと、スーツのおじさんが悪者《わるもの》だって知《し》ってるぼくといっしょに乗《の》るの、どっちが安全《あんぜん》だと思《おも》う？」

「……」

返事《へんじ》はないけど、迷《まよ》っている時間《じかん》はないよ。もう答《こた》えはでてる。

「証拠《しょうこ》のビデオがとれるよね？」

「ああ、もちろん」

「おまわりさんだって、呼《よ》べるんでしょ？」

「本部《ほんぶ》に通報《つうほう》すれば……」

「じゃあ、決《き》まり！」

ペーターは、しぶっていたけれど、「あぶなくなったら、にげるんだよ」といって、ゆっくりと下《お》りていく。

一階《かい》に到着《とうちゃく》する。とびらが開《ひら》くと、ナナミが目《め》を見開《みひら》いた。

「ツクル。なんで乗《の》ってるの?」

「えへへ」

うしろに、スーツのおじさんが立《た》っているのが見《み》えた。

心臓《しんぞう》がドクンとはねた。

「ボーッとしてて、ボタンおさなかったから、下《お》りてきちゃった。

どうぞ、乗《の》って」

思《おも》ったとおり、うしろから、スーツのおじさんが乗《の》りこんできた。

とびらが閉《し》まる。いよいよだ。

ナナミを壁側《かべがわ》に立《た》たせると、ツクルはスーツのおじさんに背中《せなか》をむけて、うで組《ぐ》みをした。

すると、スーツのおじさんが、「きみ、うでに変《へん》な虫《むし》がとまっているよ」といいながら、近《ちか》づいてきた。そして、ツクルのうでをつまむ……。

今《いま》だ！

「痛《いた》いっ！　いたたたたた」

ツクルは、うでをおさえて、大声《おおごえ》を上《あ》げた。

「ツクル、どうしたの？　だいじょうぶ？」

ナナミが、心配《しんぱい》そうな顔《かお》をむけた。

びっくりさせて、ごめん。

ほんとは痛《いた》くない。服《ふく》でかくれているけど、うでに計算《けいさん》ドリルをまいておいたんだ。

「どうしましたか？」

スピーカーから男《おとこ》の人《ひと》の声《こえ》がした。

ピーターの声《こえ》じゃない。ということは、本部《ほんぶ》の人《ひと》だ。

「このおじさんに、暴力《ぼうりょく》をふるわれました」

ツクルの声《こえ》を合図《あいず》に、ガタン！と、いきなりエレベーターがもどり始《はじ》めた。

「うわっ、なんだ？　どうしたんだ？」

スーツのおじさんが、しりもちをつく。

ツクルは、バランスをくずしたふりをして、おじさんのおしりをけっとばしてやった。

力《ちから》を入《い》れすぎて、おならもブッとでた。これも、おまけだ！

「用意《ようい》はいいかい？」

1

今度《こんど》は、ペーターの声《こえ》だ。

「さん、に、いち……今《いま》だ！」

ペーターがさけぶと同時《どうじ》に、エレベーターのとびらが開《ひら》いた。ツクルは、ナナミの手《て》をひいて、エレベーターホールに飛《と》びだした。

スーツのおじさんは、ぼう然《ぜん》としたようすで、しゃがみこんだままだ。

すーっと、とびらが閉《し》まった。

やった！　これで、つかまえた。

ドンドンドンドン。

中《なか》から、ドアをたたく音《おと》がする。

でも、ドアは開《ひら》かない。

「助《たす》けてええ」

エレベーターの中《なか》から、悲鳴《ひめい》が聞《き》こえてきたけれど、もう止《と》まらない。

上《うえ》へ、下《した》へとジェットコースターみたいだ。もうスーツのおじさんは、へとへとになっているころだろう。

遠《とお》くから、パトカーのサイレンが聞《き》こえてくる。よし、一件落着《いっけんらくちゃく》だね。

「ツクル……」

ナナミが、まじめな顔《かお》でツクルを見《み》た。

助《たす》けてあげた、お礼《れい》かな？

「さっき、エレベーターの中《なか》で、したよね？」

「えっ、なにを？」

「おなら」

「あっ！」

「あはははは。ちょっと、におうよ！」

ナナミの大《おお》きな笑《わら》い声《ごえ》が、エレベーターホールにひびいた。

せっかく、スーツのおじさんから守《まも》ってあげたのに、がっかりだよ。


小《ちい》さなパトカーがマンションの前《まえ》にとまった。ミニパトだ。

おなかをつっかえながら、太《ふと》っちょのおまわりさんがでてきた。でるだけで大変《たいへん》だったみたい。汗《あせ》がふきだしている。

「けがはないかい？」

人《ひと》のよさそうなおまわりさんは、「フジモトです」と、自己紹介《じこしょうかい》してくれた。

ツクルも名乗《なの》った。ナナミは近所《きんじょ》では有名人《ゆうめいじん》なので、もともと知《し》り合《あ》いだったみたい。

フジモトさんは、ペーターの録画《ろくが》したビデオを見《み》ると、こわい顔《かお》になって、スーツのおじさんをつれていった。

今回《こんかい》、改造《かいぞう》ボットと話《はなし》をしてみて、ちょっとわかったことがある。

おそらく、コーディーはキカイを改造《かいぞう》して、この町《まち》をいい町《まち》にしようとしているんだ。

きっと、改造《かいぞう》ボットが町中《まちなか》にたくさんいて、事件《じけん》や事故《じこ》が起《お》きないようにぼくらを見守《みまも》っているんだろう。

トミーに、「役《やく》に立《た》つものを作《つく》れよ」といわれたツクルとは大《おお》ちがい。
ツクルは、自分《じぶん》がはずかしくなった。
やっぱり、なぞのエンジニアはすごいなあ。コーディーってどんな人《ひと》なんだろう。
ふと、思《おも》った。
もしかして、さっきここで点検《てんけん》していた男《おとこ》の人《ひと》が、コーディーだったんじゃ……。
どんな顔《かお》してたっけ。
まったく思《おも》いだせない。
でも、キカイをいじる大《おお》きくてしっかりした手《て》だった。

004 エピローグ

「すごい、手《て》がかりをつかんだ！」

なぞのエンジニアの名前《なまえ》は「コーディー」。

まちがいない。

なんていったって、改造《かいぞう》ボットが、そういっていたんだから。

ツクルは、家《いえ》に帰《かえ》ると、さっそくタブレットをもちだして、検索《けんさく》ページを開《ひら》いた。

「コーディー」

入力《にゅうりょく》する指《ゆび》がふるえた。

いよいよ、なぞのエンジニアのひみつがわかるかもしれない。

ドキドキが止《と》まらなかった。

ところが……。

「なんでだろ、それっぽいのがでてこないなあ」

でてきたのは、ゲームのキャラクターとか、歌手《かしゅ》とか、なぞのエンジニアとは、関係《かんけい》のないものばかり。

「調《しら》べ方《かた》が、ちがうのかな？」

キーワードをすこしずつ変《か》えて、検索《けんさく》してみる。

［コーディー　エンジニア］

［コーディー　改造《かいぞう》ボット］

［コーディー　しゃべるキカイ］

［コーディー　かいぞう］

一時間近《じかんちか》く、いろいろ試《ため》したけれど、結果《けっか》はぜんぶハズレ。

よく考《かんが》えたら、だれも正体《しょうたい》を知《し》らないコーディーが、自分《じぶん》のホームページやSNS《エスエヌエス》をやるはずないか……。

インターネットには、コーディーの情報《じょうほう》はでていないのかもしれない。

「もう、これで最後《さいご》！」

［コーディー　ペーター　パンクス　エデン　改造《かいぞう》　さかさまシール］

もうあきらめようかと思《おも》って、やけくそで打《う》ったキーワードだった。

それがヒットした。

「あれ？　これはなんだろう？」

《わたしをさがしているキミへ》

なんだかわからないけど、特別《とくべつ》な
メッセージのような気《き》がして、クリックした。
ホームページがゆっくり開《ひら》こうとする。
データが、重《おも》たいのかな？
カーソルがくるくる回《まわ》っている。
すると、どういうわけか、タブレットの
カメラが起動《きどう》して、ツクルの顔《かお》が、
画面《がめん》にうつった。
「あれ、おかしいな？　なにも、
やってないのに……」
カシャ。

デン　改造　さかさまシール
わたしをさがしている
キミへ

いきなり、カメラのシャッター音《おん》がした。

「えっ、えっ？　なに？」

とられた写真《しゃしん》が開《ひら》く。パニックになって、あわてている変《へん》な顔《かお》だ。

続《つづ》いて、カーソルがかってに動《うご》いて、写真《しゃしん》がクラウドにアップロードされる。

「ストップ、ストップ！」

ツクルは、必死《ひっし》にクリックした。でも、まったくきかない。

タブレットが、乗《の》っとられてしまったんだ。

今度《こんど》はテキストのアプリケーションがかってに立《た》ち上《あ》がった。

「キミの名前《なまえ》は？」

文字《もじ》がかってに入力《にゅうりょく》される。

だれ？　どうやって、タブレットを操作《そうさ》しているの？

そのとき、ピンときた。

コーディーだ！　コーディーが、むこうからやってきたんだ。

「もしかして、コーディー？」

ツクルは、ドキドキしながら文字《もじ》を入力《にゅうりょく》した。

「キミの名前《なまえ》は？」

そうか。まずは、聞《き》かれていることに答《こた》えなきゃいけないんだ。

「ぼくの名前《なまえ》は、ツクルです」

すると、「こんにちは、ツクル」と、返事《へんじ》があった。

よかった。返事《へんじ》をしてくれた。

「どうして、わたしをさがしているのかな？」

やっぱり、コーディーだ！

よし。今度《こんど》は、こっちの番《ばん》のはず。

いいたいこと、聞《き》きたいことが、山《やま》ほどあるんだ。

「どうして、改造《かいぞう》ボット……いや、キカイを改造《かいぞう》しているんですか？」

「……」

「いつもは、どんな仕事《しごと》をしているのですか？」

「……」

「あなたは、何者《なにもの》なんですか？」

「……」

だめだ、どれも返事《へんじ》がない。通信《つうしん》が切《き》れたのかな？

そうか。コーディーの質問《しつもん》に答《こた》えてないから、いけないいんだ。

「ぼくは、エジソンが好《す》きで、本《ほん》も読《よ》んでいて、大《おお》きくなったら、ゼロからイチを作《つく》るような、あっとおどろく発明《はつめい》をしたいんです。だから、改造《かいぞう》ボットと、それを作《つく》った人《ひと》に興味《きょうみ》があります」

どうだろう。これで、答《こた》えになったかな？

すこしして、返事《へんじ》があった。

「改造《かいぞう》ボットとは？」

そうか。かってにつけた名前《なまえ》だから、コーディーは知《し》らないんだ。

「あなたが改造《かいぞう》したしゃべるキカイのことを、ぼくはそう呼《よ》んでいます」

もしかして、おこっちゃったかな？

「いい名前《なまえ》だ」

よかった。ほめてもらえた。

「エジソンにあこがれているなら、今《いま》は、なんにでも興味《きょうみ》をもって、よく知《し》ることさ。また会《あ》おう」

そういって、テキストのアプリケーションが終了《しゅうりょう》した。

「行《い》っちゃった……」

でも、「また会《あ》おう」って、いってた。

きっと、また会《あ》える。

ツクルは、ドキドキしながら、コーディーのホームページをブックマークに保存《ほぞん》した。

デン 改造 さかさまシール
ブックマークに保存
また会おう

作者：辻 貴司（つじ　たかし）

1977年生まれ。京都府育ち、神奈川県在住。神奈川大学卒業。日本児童文学学校、創作教室修了。「らんぷ」所属。2016年、『透明犬メイ』で第33回福島正実記念SF童話賞を受賞。『トイレのブリトニー』『よふかし しようかい』（いずれも岩崎書店）、共著に『5分ごとにひらく恐怖のとびら百物語5　奇妙のとびら』（文溪堂）などがある。

画家：TAKA（たか）

大阪府茨木市在住。2013年「視えるがうつる!? 地霊町ふしぎ探偵団」シリーズ（角川つばさ文庫）にてデビュー。2018年版「基礎英語3」（NHK出版）、「七不思議神社」シリーズ（あかね書房）、「ゼツメッシュ！」シリーズ（講談社青い鳥文庫）、『疾風ロンド』（実業之日本社ジュニアノベル）等、児童・中高生読み物の装画・挿絵、新聞連載、教材、広告、アプリなど、幅広い媒体で多数のイラストを手掛けている。

ツクルとひみつの改造ボット

2022年12月31日　第1刷発行

作　辻 貴司
絵　TAKA
発行者　小松崎敬子
発行所　株式会社 岩崎書店
〒112-0005　東京都文京区水道1-9-2
電話　03-3812-9131（営業）　03-3813-5526（編集）
00170-5-96822（振替）
装丁　山田 武
印刷所　三美印刷株式会社
製本所　株式会社若林製本工場

NDC 913　ISBN978-4-265-84037-3

Published by IWASAKI Publishing Co., Ltd.　Printed in Japan

ご意見、ご感想をお寄せ下さい。
E-mail: info@iwasakishoten.co.jp
岩崎書店HP: https://www.iwasakishoten.co.jp
落丁、乱丁本はおとりかえいたします。

N
S
歯科医院
〇×家
ファミレス
だがし
できた亭
カラオケ